La confiture de leçons

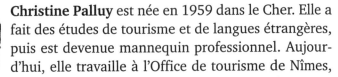

Christine Palluy est née en 1959 dans le Cher. Elle a fait des études de tourisme et de langues étrangères, puis est devenue mannequin professionnel. Aujourd'hui, elle travaille à l'Office de tourisme de Nîmes, mais consacre plusieurs heures par jour à l'écriture pour enfants. Elle écrit pour la presse et l'édition. Ses romans sont publiés chez Bayard Jeunesse et Hachette.

Du même auteur dans Bayard Poche :

Jules a disparu - Un pirate à l'école - Le génie du grenier (Mes premiers J'aime lire)

Frédéric Joos est né en 1953 à Alger. Il a appris le dessin en autodidacte et illustre aujourd'hui des magazines chez Bayard Presse et des livres aux éditions Milan, Gallimard Jeunesse et Nathan.

Du même illustrateur dans Bayard Poche :

La maîtresse est amoureuse - La série *L'espionne* - *La confiture de leçons - Journée poubelle pour Gaëlle* (J'aime lire)

Septième édition

© 2010, Bayard Éditions
© 2003, Bayard Éditions Jeunesse
© 2002, Bayard Éditions.
Dépôt légal : avril 2003
ISBN : 978-2-7470-1117-4
Loi du 16 juillet 1949 sur les publications destinées à la jeunesse.

La confiture de leçons

Une histoire écrite par Christine Palluy
illustrée par Frédéric Joos

J'AIME LIRE
bayard poche

1
Un zéro de trop

Je m'appelle Guillaume Dupuis, et je viens d'avoir neuf ans. Moi, ma spécialité, c'est d'inventer des choses que personne ne sait faire. Personne, pas même Philibert Ducrotin, cette espèce d'andouille de premier de la classe.

Par exemple, j'ai réussi à dresser le chat de madame Bertrand, la directrice. Maintenant, il sait nous renvoyer un ballon coincé entre deux branches d'arbre. Et puis, je suis le seul à construire des cabanes belles comme des petits châteaux, avec simplement des feuilles et de la boue.

J'inventerais n'importe quoi pour que les yeux de Pauline se détachent de Philibert Ducrotin. Ses yeux, on dirait des bonbons. Ils sont doux et verts avec des petits points dorés. Mais parfois ils sont durs, ils piquent... Surtout quand je ne sais pas ma leçon.

Chaque fois que le maître m'interroge, Pauline vient me voir à la récré, et elle me dit :

– Tu sais, Guillaume, moi je les aime bien, tes inventions...

Mais elle ajoute en repartant, l'air de rien :

– N'empêche que j'aimerais mieux que tu sois un bon élève... Tu sais, comme Philibert.

Ça m'énerve ! Alors, pour me remonter le moral, Arthur me dit :

– Ne t'en occupe pas. Ce sont des idées de fille, ma mère pense pareil.

Un jeudi, le maître m'a demandé de réciter la poésie. Debout, devant le tableau, j'ai commencé :

– « Le chat et le soleil », de Maurice Carême.

Jusque-là, tout allait bien. Le titre, je le savais par cœur. Le nom du poète, je l'avais lu juste avant de me lever. Mais après, c'était plus dur. Pourtant, j'avais lu la poésie au moins deux fois, à la maison.

– Continue, a dit calmement le maître.

Il a bien fallu que je dise quelque chose :

– *« Le chat... »*

Pauline, en face de moi, tirait sur ses paupières avec ses doigts. Soudain, j'ai compris :

– *« Le chat ouvrit les yeux, le... »*

Arthur me montrait le ciel par la fenêtre. Je ne voyais rien. Alors j'ai essayé :

– «L'avion !»

En même temps, Arthur a crié :

– Il fait beau aujourd'hui !

J'ai compris le message, et j'ai aussitôt dit :

– «Le soleil…»

Mais je pense que monsieur Lourdin a tout compris lui aussi. Il a ajouté :

– «Y entra. Le soleil y entra.» Quant à Arthur, il va sortir, le temps de se souvenir qu'on ne souffle pas à ses camarades.

Arthur est sorti, et moi, j'ai eu un zéro, comme d'habitude. Mais là, c'était un zéro de trop : on aurait dit qu'il restait coincé dans ma gorge, comme une grosse boule. Il me donnait envie de pleurer. Pauline ne m'a même pas regardé quand j'ai regagné ma place. Et Philibert Ducrotin a tout su par cœur. Alors, forcément, j'en ai eu assez d'être le plus nul de la classe.

2
L'idée magique

Je suis rentré chez moi. Il n'y avait personne,
comme à chaque fois que je reviens de l'école.
Mes parents travaillent, et ils ne rentrent que
plus tard.

J'aime bien être seul. Souvent, je m'assieds
sur le canapé et je rêve. Je m'imagine matelot,
seul rescapé d'un naufrage, perdu sur une île
déserte.

Mais, ce soir-là, j'avais encore mieux à faire. Je venais de prendre une décision historique : être le meilleur de la classe. Il fallait que j'imagine un plan pour que Philibert Ducrotin ait l'air presque nul à côté de moi.

Je me suis coupé une tartine et je me suis assis en tailleur sur la moquette. J'ai fermé les yeux. L'idée ne venait pas.

Je ne voulais pas apprendre, et on voulait que je sache plein de choses. Et tout ce qu'on voulait que je sache était dans les livres. J'étais de plus en plus dégoûté, quand tout à coup j'ai eu une illumination.

Je me suis précipité à la cuisine. J'ai arraché dans mon livre de grammaire la page 27, celle des accords du participe passé. Dans une casserole, j'ai fait bouillir un peu d'eau pour y jeter la feuille découpée en confettis.

Bientôt, le papier s'est mélangé au liquide, il a formé une sorte de pâte. J'ai goûté, ajouté du sucre, goûté encore. Puis j'ai étalé ma confiture de grammaire sur le restant de la tartine avant de la croquer avec appétit.

J'ai allumé la télé, et j'ai attendu. Pas très longtemps, d'ailleurs ! L'extraordinaire est arrivé : tout doucement, malgré moi, j'ai commencé à me réciter la page 27 de mon livre de grammaire... Incroyable ! Je savais tout ! Jusqu'au moindre détail. Et je récitais tout ! Même le numéro de page noté en bas, à droite !

Fou de joie, je me suis mis à chanter à tue-tête ma leçon en sautant à pieds joints sur le canapé. Ensuite, j'ai joué à l'Homme-Pieuvre. Je faisais un tel vacarme que je n'ai pas entendu mes parents rentrer. J'étais accroché aux rideaux, et je hurlais quelque chose comme :

– Tiens bon, John ! La Pieuvre arrive !

Quand, soudain, j'ai entendu :

– Chéri, appelle le docteur, le petit est malade !

C'était ma mère. J'ai eu peur : j'ai tout lâché.
J'ai atterri sur la moquette, aux pieds de mon
père. Papa s'est accroupi. Il m'a caressé les che-
veux en me demandant d'une voix inquiète :

– Guillaume, mon chéri, dis-moi la vérité…
Est-ce que, par hasard, tu ne te prendrais pas
pour un monstre marin ? Et puis, qui est ce
John ? Tu n'en as jamais parlé.

J'ai voulu le rassurer :

– Mais non, papa, c'est juste que je sais par
cœur ma leçon de grammaire.

Il n'en fallait pas plus pour affoler ma mère :

– Nicolas ! Ton fils se suspend aux rideaux pour voir des pieuvres. En plus, il affirme connaître ses leçons et, toi, tu ne réagis pas ! Tu ne vois pas qu'il va très mal ?

Aussitôt, elle m'a dit de monter dans ma chambre et elle m'a préparé une aspirine.

– Bois ça tout de suite et reste couché. Je vais te faire une tisane. Après, je veux que tu dormes sagement.

Je voulais protester, lui dire que je me sentais très très bien. Mais ce n'était pas la peine : il valait mieux faire le malade pour qu'elle ne me pose plus de questions.

Je me suis endormi très tard. Je faisais des plans magnifiques. Je me sentais fort comme un champion. J'allais devenir meilleur que le maître...

3
Un merveilleux succès

Le lendemain, je me suis précipité à l'école
sans déjeuner. Arthur m'attendait dans la cour,
avec son classeur de timbres. J'ai regardé sa
collection en pensant à une seule chose : la
tête que ferait Pauline, tout à l'heure, si je récitais la leçon sans me tromper.

Enfin, la sonnerie a retenti. Notre classe est
montée en rang et nous nous sommes installés
à nos tables.

Monsieur Lourdin est passé lentement dans les allées, les mains derrière le dos. Il tournait la tête à gauche et à droite en dévisageant ses élèves un à un. Il s'est arrêté net devant moi :

– Est-ce que monsieur Dupuis nous a fait le plaisir d'apprendre sa leçon, aujourd'hui ?

J'ai claironné :

– Oui, monsieur !

Évidemment, il ne m'a pas cru, et il m'a ordonné d'aller réciter au tableau. Une fois debout, face aux copains, j'ai fait semblant de ne plus savoir, de chercher mes mots.

Pauline essayait de me souffler le début de la leçon. Mais je ne voulais pas qu'elle se fasse prendre, alors j'ai articulé d'une voix forte :

Le participe passé employé sans auxiliaire s'accorde comme un adjectif en genre et en nombre avec le nom ou le pronom auquel il se rapporte. Exemple : des paysages ensoleillés...

J'ai récité toute la leçon, même les paragraphes que monsieur Lourdin ne nous avait pas demandé d'apprendre. Les copains m'écoutaient, ahuris. Philibert Ducrotin s'étouffait. Pauline souriait.

Et j'ai continué, continué, sans m'arrêter. J'ai énoncé tous les cas particuliers des accords du participe passé, pour achever mon récit par : «Éditions Caracol, leçon 10, page 27».

Il y a eu un grand silence, suivi d'un tonnerre d'applaudissements. Mon cœur battait à cent à l'heure. Tout le monde devait l'entendre, c'est sûr. J'ai fait un effort énorme pour regagner ma chaise avec la tête de celui qui s'en fiche.

– Bien, va à ta place, Guillaume, a fini par dire monsieur Lourdin, sans remarquer que j'y étais déjà depuis un moment.

Cette étourderie a provoqué un éclat de rire
général. Le maître a réclamé le silence, puis il
est retourné, pensif, devant le tableau :

–Guillaume, je te félicite. Tu viens de nous
prouver que tu étais capable de retenir tes
leçons. À partir de maintenant, je veux que tu
saches toutes tes leçons aussi bien que ta
grammaire.

J'ai pris l'air le plus sage que je connaissais,
et j'ai dit oui.

Après un succès aussi mer-
veilleux, je ne pouvais pas en rester là.

À la sortie de l'école, j'ai couru chez moi,
heureux d'avoir des maths à apprendre. Une
fois dans la cuisine, j'ai découpé les pages à
étudier. Après une hésitation, j'ai détaché
aussi les leçons que j'aurais dû apprendre depuis le début de l'année...
Ensuite, j'ai préparé et avalé
ma recette secrète.

Dès le lendemain, je suis devenu l'élève le plus fort en maths que l'on ait jamais vu dans l'école. Quelques jours plus tard, j'étais carrément le meilleur en tout. Et Pauline ne regardait que moi...

4
Le programme-télé

Chaque soir, en secret, je préparais et mangeais ma confiture de leçons. Ensuite, c'était génial : je passais des heures à zapper devant la télé. Cependant, je ne me souvenais jamais des heures de mes émissions préférées. Alors, un jour, j'ai pensé : « Facile ! je vais me préparer une confiture de programme-télé ! »

Et aussitôt, je me suis mis en cuisine.

Mais quelques jours plus tard, tout s'est brouillé. C'était peut-être un gros rhume qui mettait mes idées à l'envers, ou bien une indigestion de papier... Je ne sais pas.

C'était un lundi. Le maître m'a appelé au tableau pour que je récite ma leçon de géographie.

J'y suis allé, tranquille, les mains dans les poches. J'ai ouvert la bouche, et voilà ce que j'ai dit :

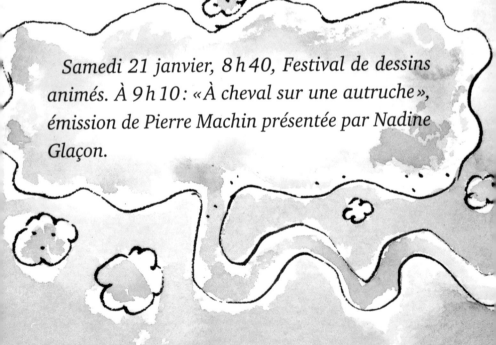

Samedi 21 janvier, 8 h 40, Festival de dessins animés. À 9 h 10 : «À cheval sur une autruche», émission de Pierre Machin présentée par Nadine Glaçon.

Le maître me fixait avec des yeux furibonds. Je me rendais compte de mon erreur, mais c'était trop tard : j'étais lancé, je ne pouvais pas m'arrêter avant d'avoir terminé le programme.

À 10 h 30 : Le cirque Ratatouille et ses fourmis savantes...

Soudain, alors que j'entamais la soirée du dimanche sur la deuxième chaîne, monsieur Lourdin m'a ordonné d'un ton sec :

– Guillaume, cesse ta plaisanterie immédiatement !

Ma bouche continuait malgré moi à annoncer les émissions :

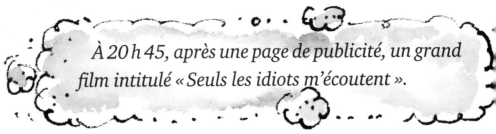

À 20 h 45, après une page de publicité, un grand film intitulé « Seuls les idiots m'écoutent ».

Alors le maître a tambouriné des deux mains sur son bureau :

– À la porte !

Sa voix énorme a fait vibrer les fenêtres. Je suis vite sorti, et j'ai refermé la porte derrière moi. J'avais chaud, je sentais mes joues brûlantes et ma gorge sèche. J'ai continué à annoncer les émissions télévisées dans le couloir, le nez dans les portemanteaux, afin que personne ne me voie. Pour mon malheur, je n'en étais qu'au lundi, et le programme de la semaine se terminait le vendredi à 23 h 55...

Quand la sonnerie de fin de journée a retenti dans les couloirs, j'étais toujours en train de réciter. Pas question d'attendre Pauline ou Arthur, ni même d'aller chercher mon cartable. J'ai filé chez moi. Pour qu'on ne remarque pas que je parlais tout seul, j'ai mis un mouchoir devant mon nez.

Enfin, à mi-chemin, j'ai prononcé la phrase :

23 h 55 : fin des programmes.

Et je n'ai plus dit un mot.

5
Bouillie de paroles

Un peu plus tard, comme d'habitude, je suis allé acheter du pain. En entrant dans la boulangerie, je me sentais normal, léger comme une hirondelle.

– Qu'est-ce que je te sers, mon Guillaume ? m'a demandé madame Couloum avec sa bouche peinte en rose.

– Je voudrais un...

Et là, j'ai commencé à danser malgré moi. C'était très bizarre : je voulais que mes pieds restent par terre, et ils se levaient à tour de rôle. Talon-pointe, talon-pointe... Mes bras s'y sont mis, eux aussi : ils se sont rejoints au-dessus de ma tête. J'ai essayé de parler à nouveau :

Je voudrais un... un... Un et deux font trois... Trois jeunes tambours s'en revenaient de guerre, trois jeunes tambours... Tambour : le tambour est un instrument de musique... boum bada, boum, boum...

Je tournais sur moi-même. C'est à ce moment précis que je me suis mis à bafouiller :

Confitarthur de Lourdindon, dondon. Vlan à la poporte, popo ma Paupau, ma Liline. Papa, parici, partici. Pepassé, passécé, cécédille...

Impossible de prononcer des mots corrects. Je me suis enfin arrêté de faire la toupie, et j'ai vu le plus terrible : les regards ahuris de la boulangère et des clients sur moi. J'ai bondi vers la sortie, et j'ai couru longtemps, longtemps, pour me calmer.

Une fois dans ma chambre, j'ai réfléchi à mes mésaventures. Je ne pouvais pas continuer à avaler comme ça des livres entiers. Je dirais bientôt des bêtises à longueur de journée. On allait m'enfermer dans une maison pour les fous. Je ne verrais plus jamais mon papa chéri, ni ma maman qui sentait bon la violette, ni Arthur, ni Pauline… Et même monsieur Lourdin, l'instituteur, je n'allais plus le revoir de ma vie.

Cette idée m'a presque fait pleurer, et tout à coup j'ai trouvé la seule solution. Je me suis levé et, à voix haute, j'ai déclaré :

– C'est décidé ! J'arrête la confiture de leçons.

6
Victoire !

J'ai ouvert ce qui restait de mon livre de français. Aussitôt, l'idée de redevenir le plus nul de la classe m'a paru atroce. Même si j'arrêtais la confiture, je devais absolument rester le meilleur de la classe.

Je me suis assis à mon bureau, et j'ai commencé à répéter la leçon en articulant. Bien sûr, c'était moins facile, je devais la lire plusieurs fois, et la répéter encore et encore.

Mais, au bout d'un moment, je me suis rendu compte que je savais ma grammaire. Content mais prudent, je suis passé au cahier d'histoire : j'ai lu, relu, révisé mes pages sur les rois de France. J'ai fermé les yeux pour me souvenir de ce que j'avais appris. Miracle !

Je retenais le nom des rois, des reines, et même leurs dates de naissance ! Moi, Guillaume Dupuis, j'étais capable de retenir mes leçons comme un véritable bon élève !

En lançant mon cahier en l'air, j'ai crié :
– Victoire !

Pour fêter l'événement, je me suis fait un bon goûter. Je me suis coupé une bonne tranche de pain croustillant. J'y ai étalé, pour la première fois depuis plusieurs semaines, une vraie confiture de vrais abricots. Un régal... Rien à voir avec la confiture de leçons, toute grise et toute pâteuse !

Le lendemain, personne ne s'est aperçu que j'avais changé de méthode pour apprendre mes leçons. Je me suis senti vraiment bon. Mon travail, c'était pas de la confiture, et j'étais très fier. Plus rien ne pouvait m'arrêter : ni indigestion de papier, ni charabia.

À la récréation, j'ai couru fabriquer avec mes copains une petite cabane au fond de la cour.

Je leur ai expliqué mon secret pour la rendre belle comme un petit château avec seulement des feuilles et de la boue.

Plus tard, je serai inventeur. À moins que je devienne magicien : Pauline adore les colombes.

J'AIME LIRE

ÉDITION

Des premiers romans à dévorer tout seul !

Réfléchir et comprendre
la vie de tous les jours

Rire et sourire
avec des personnages insolites

Se faire peur et frissonner
de plaisir

Rêver et voyager
dans des univers fabuleux

Se lancer dans des aventures
pleines de rebondissements

100 % lecteurs !

Découvrez le magazine *J'aime lire*

J'aime lire est le grand rendez-vous lecture de tous les 7-10 ans avec :

- Humour, aventure, frisson, émotion… Chaque mois, le plaisir de lire un roman !

- Place aux images, lisibilité adaptée, récréations avec les BD et les jeux… Un savoir-faire unique pour accueillir les enfants dans le plaisir de lire.

DÈS 7 ANS

Un **J'AIME LIRE** pour tous, des histoires pour chacun !

Pour découvrir les différentes formules d'abonnements à *J'aime lire* existantes, rendez-vous sur **www.jaimelire.com** !

C'EST LA VIE Lulu!

Des romans, suivis de conseils malins, pour mieux vivre avec les petits soucis de la vie quotidienne.

Lulu est un personnage du magazine Astra

Princesse Zélina

Des romans d'aventures et d'amour

Des romans pleins de rebondissements
avec l'intrépide princesse.

Un journal intime
à partager avec
Zélina. A lire
et à compléter.

Un véritable agenda
avec des informations
inédites sur la princesse,
des conseils pratiques
et des autocollants.

Un coffret de correspon-
dance avec du papier
à lettres, des cartes
et des enveloppes.

Un coffret à bijoux
luxueux, muni
d'un tiroir rempli
de perles et autres
accessoires, et accompagné
d'un livret pour réaliser
12 bijoux.

Zélina est un personnage du magazine **astrapi**

Imprimé en France par Pollina - L56415c